Für:_____

_____

Von:_____

_____

HONIG

5-Minuten-
Geschichten

ISBN-10: 3-8212-3223-4
ISBN-13: 978-3-8212-3223-2

Verantwortlich für diese Ausgabe:
XENOS Verlagsgesellschaft mbH
Am Hehsel 40, 22339 Hamburg
Übersetzt von Wiebke Krabbe, Damlos

Manufactured in China.

Inhalt

Inhalt

Ententag

Illustriert von den DiCicco-Studios
Erzählt von Catherine McCafferty

Der Frühlingsregen trommelt leise auf den Hundert-Morgen-Wald.

„Klopf, klopf, Regen, tropf, dumdidum, hopp, hopp", singt Puuh. Hopsen will er eigentlich nicht, aber der Reim hört sich so gut an.

„Das ist ein schönes Lied, Puuh", sagt Ferkel. Er versucht, sich auch ein kleines Lied auszudenken.

„Pfützen, Pfützen, schöne Pfützen", singt Ferkel. Puuh singt sein Lied noch einmal. Dann singt Ferkel sein Lied noch einmal.

Und dann hören die beiden jemanden – oder etwas – ein anderes kleines Lied singen.

„Auweia", sagt Ferkel und schaut den nassen Weg

entlang. „Wer singt da, Puuh?“

„Ich weiß nicht“, antwortet Puuh und schaut sich um. Weiter hinten auf dem Weg liegt ein kleines, rundes Etwas und singt. Puuh starrt das runde, weiße Ding lange an und stellt dann fest: „Ich glaube, Ferkel, die Geräusche kommen aus diesem Ei. Und ich fürchte, es ist ein Heffalump-Ei!“

„Piep!“, macht das Ei.

Erschrocken versteckt Ferkel sich hinter Puuh. Es klang nicht wirklich wie ein Heffalump. Aber Ferkel weiß, dass man nicht vorsichtig genug sein kann.

Langsam wagt Ferkel sich wieder vor. Doch das Ei ist nicht mehr zu sehen. Wo eben das Ei war, sitzt jetzt ein Entenküken.

„Hallo, du!", sagt Puuh.

„Piep!", macht das Entenküken.

„Ich glaube, es hat sich verlaufen", meint Ferkel.

„Sieht ganz so aus", findet auch Puuh.

„Wir sollten das Entchen nicht bei dem Heffalump-Ei zurücklassen."

Puuh setzt seine Kapuze auf, damit er besser nachdenken kann. Unter der Kapuze bleiben all die Gedanken besser in seinem Kopf.

„Ich glaube, wir sollten Hilfe holen", sagt Puuh

dann. „Komm, wir fragen Eule."

Eule ist gerade an einer Tafel beschäftigt, als Puuh und Ferkel ankommen. Er studiert Rabbits Stammbaum.

„Entschuldige, Eule", sagt Puuh. „Wir wollen unseren kleinen Freund hier nach Hause bringen. Wir dachten, du kannst uns vielleicht dabei helfen."

„Ihr meint all die kleinen Entchen?", fragt Eule. Puuh und Ferkel sehen sich um. Jetzt sind auf einmal fünf Entchen da! Das erste Küken hat noch vier Freunde mitgebracht.

Puuh, Ferkel und die Entchen gehen zurück zu

der Stelle, wo das Heffalump-Ei war.

„Hallo, Puuh! Hallo, Ferkel!", ruft da Christopher Robin. „Habt ihr das Enten-Ei gesehen? Vielleicht hat es einem von euren neuen Freunden gehört. Bringt ihr sie zum Teich? Da wohnen sie nämlich."

„Christopher Robin hat einfach tolle Gedanken", denkt Puuh. „Sogar ohne Kapuze."

„Ähm, ja", sagt Puuh laut, „da bringen wir sie hin."

„Hurra!", jubelt Christopher Robin. „Wir machen eine Entenparade!"

„Entenküken, piep, piep, piep, lauft zum Teich,

und seid schön lieb", singt Puuh.

Er findet, dass sein neues Lied wirklich prima klingt. Er singt und marschiert und führt die piepende Parade der Enten an. Singend zieht die ganze Gruppe zum Teich. Als sie dort ankommen, erleben die Freunde eine Überraschung. Es ist eine runde, weiße, harte, glatte Überraschung.

„Guck mal, Puuh", ruft Ferkel, „noch ein Enten-Ei!"

Eins, zwei, drei, vier, fünf, sechs Entenküken! Sechs Küken haben sich inzwischen versammelt.

„Jetzt seid ihr zu Hause, Entchen", sagt Puuh

dann zu seinen neuen Freunden. „Es war schön, euch kennen zu lernen. Wo wir gerade von zu Hause reden – ich muss auch gehen. Dieser Ententag hat mich nämlich sehr hungrig gemacht!" Und damit marschiert Winnie Puuh nach Hause zu seinen Honigtöpfen.

Verloren und wiedergefunden

Illustriert von John Kurtz

Erzählt von Guy Davis

An einem schönen, sonnigen Vormittag im Frühling wacht Rabbit auf und ist ganz aufgeregt. Es ist Zeit, den Garten zu bepflanzen. Den ganzen Winter lang hat er auf den ersten Frühlingstag gewartet.

Beim Aufstehen kommt Rabbit ein kleiner Reim in den Sinn: „Zeit zum Pflanzen, Zeit zum Säen, ich will schnell in den Garten gehen."
Dabei fällt Rabbit etwas ein. „Wo ist meine Hacke?", fragt er sich.
„Ach, sie taucht bestimmt wieder auf", sagt Rabbit zu sich, als er Samentüten und

Gartenwerkzeuge zusammenträgt.

Aber leider taucht die Hacke nicht auf.

Rabbit sucht im ganzen Haus. Dann fällt ihm ein, dass er die Hacke im Herbst Ferkel geliehen hat.

„Aha! Ferkel hat meine Hacke!", sagt Rabbit. Er macht sich gleich auf den Weg zu Ferkel und reimt dabei: „Wo mag meine Hacke sein? Sie ist bei Ferkel, fällt mir ein."

Als Rabbit bei Ferkel ankommt, ist er etwas außer

Atem. Er holt tief Luft.

„Ferkel, was hast du mit meiner Hacke gemacht?", fragt Rabbit.

Ferkel und Puuh sehen ihn verdutzt an.

Mit schüchterner Stimme fragt Ferkel zurück: „Welche Hacke?"

„Meine Gartenhacke", sagt Rabbit. „Wohin hast du sie gestellt?"

„Hast du sie verlegt?", fragt Ferkel.

„Nein", erklärt Rabbit. „Du hast sie verlegt!"

„Wie habe ich denn das gemacht?", fragt Ferkel mit ängstlicher Stimme.

„Du hast sie dir im letzten Herbst ausgeliehen",

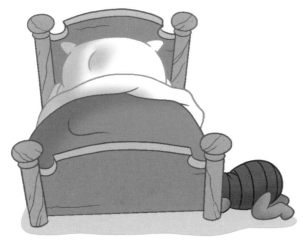

sagt Rabbit. „Und jetzt brauche ich sie zurück." „Ich kann mich nicht erinnern, dass ich sie ausgeliehen habe", sagt Ferkel, „aber ich will dir gern suchen helfen."

Die Freunde suchen überall in Ferkels Haus. Sie schauen in die Schubladen, unter das Bett, unter den Teppich. Aber die Hacke ist einfach nicht

zu finden. Dann beginnen die drei Freunde, draußen zu suchen.

Rabbit murmelt einen Reim, aber so laut, dass Ferkel ihn hören kann.

„Ich werde langsam ärgerlich,
denn Ferkel hat die Hacke nicht!"

Ferkel ist ein bisschen beleidigt, aber er hilft trotzdem, weiter nach Rabbits Hacke zu suchen. Ferkel, Puuh und Rabbit suchen und suchen. Sie suchen in Sachen und zwischen Sachen. Sie suchen hinter Sachen und unter Sachen. Sie suchen sogar um Sachen herum. Aber Rabbits Hacke können sie nicht finden.

Nachdem die Freunde überall im ganzen Hundert-Morgen-Wald gesucht haben, meint Rabbit, dass es genug ist. „Gehen wir einfach in meinen Garten", sagt er müde.

„Ähm … du … Rabbit?", fragt Ferkel, als sie an Rabbits Garten kommen. „Ist das nicht deine Hacke?"

„Das ist meine Hacke! Du meine Güte!", ruft Rabbit. Es ist ihm sehr unangenehm. „Tut mir wirklich leid, Ferkel. Kannst du mir verzeihen?" Aber Ferkel ist Rabbit schon gar nicht mehr böse. Gemeinsam machen sie sich an die Gartenarbeit. Als sie so arbeiten, dichtet Rabbit einen neuen

Reim für Ferkel und Puuh: „Die Hacke kann man ruhig verlegen, doch gute Freunde soll man pflegen."

Weggeweht

Illustriert von den Disney-Zeichen-Studios
Erzählt von Guy Davis

Der Wind heult mit einem gewaltigen WUUUSCH durch den Hundert-Morgen-Wald.

„Auweia", sagt Ferkel, „ein windiger Tag!"

Es ist wirklich ein sehr windiger Tag im Hundert-Morgen-Wald. Die Bäume biegen sich, und die Blätter wirbeln durch die Luft.

„Schaut euch die ganzen Blätter in meinem Vorgarten an", ruft Ferkel. „Ich muss sie zusammenfegen!"

Er schnappt sich seinen Besen, geht in den Garten und fängt an, die Blätter zusammenzufegen. Plötzlich kommt ein

Windstoß, und Ferkel fliegt durch die Luft.
Auch Winnie Puuh staunt über den Wind.
„Schaut euch nur diese schönen Blätter an, wie
sie fliegen", staunt Puuh. Er sieht goldgelbe
Blätter und rote Blätter und orangefarbene
Blätter und … Ferkel!
„Ferkel?", fragt Puuh und reibt sich die Augen.
„Bist du das, der da fliegt?"
„Ähm, ja, Puuh, das bin ich", ruft der arme
Ferkel. „Kannst du mir helfen? Ich glaube, der
Wind hat mich weggeweht!"
Die beiden Freunde fassen sich an den Händen,
aber der Wind zieht sie wieder auseinander. Puuh

bekommt gerade noch den Zipfel von Ferkels Schal zu fassen. Doch als er daran zieht, räufelt der Schal auf. Aber Puuh lässt den Faden nicht los.

„Halt dich fest, Ferkel!", ruft Puuh.

„Keine Sorge", antwortet Ferkel und klammert sich am anderen Ende des Schals fest. „Ich halte mich ganz fest!"

Puuh schaut zu seinem Freund auf, der hoch oben am Himmel fliegt. „Hmm, das ist fast, als ob man einen Drachen steigen lässt. Aber wahrscheinlich findet Ferkel diese Idee nicht lustig", denkt Puuh. Darum sagt er lieber

nichts. Der Wind heult auch sehr laut.

Puuh hält den Schal fest, aber der Wind wird immer stärker. Bald wird Puuh wie Ferkel in die Luft gehoben.

„WUUUSCH!", heult der Wind.

Immer stärker wird der Wind und trägt die beiden Freunde in die Höhe.

Puuh schaut nach unten und denkt: „So fühlt sich also ein Drachen."

Puuh und Ferkel fliegen über Kangas Haus. Dann fliegen sie über Rabbits Garten. Und wenig später über I-aahs Haus.

Puuh schaut nach oben und stellt fest, dass sie in

der Nähe von Eules Wohnung sind.

„Hmm, wenn ich mich etwas zur Seite drehe, könnten wir auf Eules Veranda landen!", ruft Puuh. Eine prima Idee für einen Bären mit wenig Verstand.

„Gute Idee", findet auch Ferkel.

Mit einem KRA-WUMMS landen die beiden. Ganz so gut, wie Puuh gedacht hatte, funktioniert die Idee doch nicht. Sie haben Eules Eingangstür nicht genau getroffen.

Eule schaut von seinem Buch auf und sieht Ferkel und Puuh. Sie drücken ihre Gesichter an sein Fenster.

„Na so was", kichert Eule. „Wer kommt denn da hereingeschneit?"

Eule öffnet das Fenster, und die beiden Freunde purzeln auf den Fußboden.

„Kommt doch herein, es gibt Tee", sagt Eule.

„Eule, danke, dass du uns gerettet hast", sagt Puuh. „Wenn du nicht gewesen wärst, hätte der Wind uns glatt aus dem Hundert-Morgen-Wald getragen!"

„Und danke, Puuh, dass du mich zuerst gerettet hast", sagt Ferkel. „Ohne dich wäre ich glatt weggepustet worden!"

„Tja, es ist wirklich ein besonders windiger Tag",

fügt Eule hinzu. „Das erinnert mich an eine Geschichte …“

Bevor Eule die Geschichte erzählen kann, heult der stürmische Wind noch lauter. Eules Haus zittert, als sich der Baum knarrend zu einer Seite lehnt. „Auweia“, sagt Ferkel.

„Alle gut festhalten!“, schreit Puuh, als sich der Baum wieder aufrichtet.

Schließlich beruhigt sich der Sturm, und Puuh sagt: „So einen windigen Tag habe ich noch nie erlebt!“

„Und ich möchte auch nie wieder so einen erleben!“, fügt Ferkel hinzu.

Puuh pflanzt einen Honigbaum

Illustriert von Costa Alavezos

Erzählt von Guy Davis

Winnie Puuh hat Hunger. Und wenn sein Bauch rumpelt, dann muss er unbedingt Honig essen.

Also fängt er an, nach Honig zu suchen. Aber alle seine Honigtöpfe sind leer. Wo kann er nun Honig herbekommen?

„Hallo, Rabbit, alter Freund", sagt Puuh zu seinem langohrigen Nachbarn.

„Hallo, Puuh", antwortet Rabbit.

„Rabbit, meinst du, du hast vielleicht ein bisschen Honig für mich?", fragt Puuh.

Bevor Rabbit antworten kann, stellt Puuh gleich noch eine Frage: „Warum arbeitest du immer im

Garten? Möchtest du nicht lieber lecker essen?"

„Der Garten ist mein Essen!", erklärt Rabbit.

Rabbit führt Puuh durch seinen Garten.

„Schau mal, Puuh, hier wächst so viel leckeres Obst und Gemüse", sagt Rabbit. „Manche Samen werden zu Pflanzen, die Früchte tragen. Aus anderen Samen können sogar Bäume wachsen."

„Und einige Pflanzen", fährt Rabbit fort, „wachsen unter der Erde, wie Kartoffeln und Mohrrüben. Die mag ich am liebsten."

Rabbit zeigt Puuh, wie man Samen in die Erde legt und begießt.

„Das ist es!", denkt Puuh. „Ich pflanze einen

Honigtopf ein. Dann kann ich immerzu Honig ernten!"

Als Puuh an einen Baum denkt, von dem er goldgelben Honig ernten kann, lächelt er von einem Ohr zum anderen.

Er will Rabbit unbedingt von seiner Idee erzählen.

„Puuh, das ist die verrückteste Idee, von der ich je gehört habe!", meint Rabbit.

„Stimmt", antwortet Puuh. „Zuerst muss ich einen kleinen Honigtopf einpflanzen."

Er leiht sich von Rabbit einen Honigtopf, gräbt ein Loch und pflanzt ihn ein.

Rabbit seufzt. „Das klappt nie."

„Genau", stimmt Puuh zu. „Ohne Wasser kann mein Honigbaum ja nicht wachsen. Vielen Dank, Rabbit!"

Puuh schaut jeden Tag nach seinem Honigbaum. Bald beginnt er sich zu fragen, warum der Baum nicht wächst.

Eines Nachmittags gibt es ein mächtiges Gewitter. „Vielleicht ist das genau richtig für

meinen Honigbaum",
denkt Puuh und beeilt
sich, nach Hause zu
kommen.

Puuh sitzt geduldig
am Fenster und schaut
dem Regen zu. Kaum
ist es wieder trocken,
läuft er hinaus, um nach seinem Honigbaum zu
sehen. Aber Sturm und Regen haben das Schild
für seinen Honigbaum weggeweht. Puuh sucht
nach seinem Honigbaum. Er sucht hier, und er
sucht dort. Puuh sucht überall. Er kann die Stelle

nicht mehr finden, wo er den Topf eingepflanzt hat.

„So ein Mist!", sagt Puuh. „Mein Honigbaum ist verschwunden. Was soll ich jetzt nur tun?"

Puuh setzt sich hin, um nachzudenken.

Da sieht er einen Baum, den er vorher noch nie gesehen hat. Es ist ein großer Baum, und daran hängen zwei Bienenstöcke.

„Na bitte!", grinst Puuh. „Da ist ja mein Honigbaum!"

Immer wieder erzählt Puuh seinen Freunden die Geschichte vom Honigbaum, der aus einem kleinen Honigtopf gewachsen ist.

Und während Puuh die Geschichte erzählt,
schüttelt Rabbit still den Kopf und lächelt.

Ferkel träumt vom Schlafen

Illustriert von den DiCicco-Studios
Erzählt von Lora Kalkman

Der Mond scheint hell auf den Hundert-Morgen-Wald. Ferkel klettert in sein kuscheliges Bett. Er zieht die Decke bis an die Ohren. Dann macht Ferkel die Augen zu. Aber er kann nicht einschlafen.

„Bestimmt habe ich etwas vergessen", überlegt Ferkel. „Ich will Puuh fragen. Er weiß bestimmt, was man tun kann, um einzuschlafen."

„Vielleicht magst du ein bisschen Honig?", fragt Puuh. „Honig ist mein allerliebstes Betthupferl." Ferkel isst mit Puuh etwas Honig. Aber er ist immer noch nicht müde. Ferkel dankt Puuh für den Honig. Dann macht er sich auf den Weg

zum Haus von Kanga und Klein Ruh.

„Komm rein", sagt Kanga, als Ferkel ankommt. Kanga sitzt im Schaukelstuhl und hat Klein Ruh auf dem Schoß.

„Hallo, Ferkel", sagt Klein Ruh. „Mama wollte mir gerade ein Schlaflied vorsingen."

„Das ist es!", sagt Ferkel. „Ich singe mir ein Wiegenlied."

Kanga singt, und Ferkel singt mit. Es dauert nicht lange, bis Klein Ruh fest schläft. Ferkel gefällt das Lied, aber müde ist er nicht.

Ferkel seufzt. „Vielleicht weiß Rabbit, was ich zum Einschlafen brauche."

Ferkel kommt gerade an Rabbits ordentlichen Garten, als er ein lautes KRACH hört. „Tigger, hör auf zu hopsen!", schimpft Rabbit.

„Hallo, Tigger", ruft Ferkel. „Hast du schon wieder Rabbit über den Haufen gehopst?"

„Tut mir leid, Langohr", sagt Tigger. „Aber bevor ich abends ins Bett gehe, muss ich immer hopsen."

„Genau!", sagt Ferkel. „Ich mache einen Abendspaziergang. Danach kann ich bestimmt einschlafen."

Rabbit hat da seine Zweifel. „Aber Tigger wird von seiner Abend-Hopserei kein bisschen

müder", gibt er zu bedenken. „Er ist genauso hopsig wie immer."

„Warum besuchst du nicht Eule?", schlägt Rabbit vor. „Wenn er seine langen Geschichten erzählt, musst du oft gähnen."

„Vielleicht ist eine Gute-Nacht-Geschichte jetzt genau richtig", sagt Ferkel. „Vielleicht kann Eule mir ja helfen."

„Guten Abend, Ferkel", grüßt Eule, als sein Freund ankommt. „Es ist ein schöner Abend, um die Sterne anzuschauen. Setz dich doch zu mir."

„Eigentlich", sagt Ferkel, „glaube ich, dass ich eine Gute-Nacht-Geschichte brauche, damit ich

schlafen kann."

„Ach so", sagt Eule. „Bitte, bedien dich doch bei meinen Büchern. Ich habe sie alle schon gelesen. Du kannst gern welche ausleihen."

Damit legt Eule Ferkel einen schweren Stapel Bücher in die Arme. Ferkel geht nach Hause, um eine oder zwei Geschichten zu lesen.

Ferkel fängt zu lesen an. Er liest eine lange, langweilige Geschichte nach der anderen, aber er schläft einfach nicht ein.

„Hoffentlich ist I-aah zu Hause", denkt Ferkel. „Er weiß bestimmt, was ich zum Einschlafen brauche."

Als Ferkel an I-aahs Haus kommt, hört er I-aah zählen. „Entschuldige, I-aah, was zählst du denn da?", fragt Ferkel.

„Ich zähle Schafe", antwortet I-aah. „Das tue ich immer vor dem Einschlafen."

„Genau!", sagt Ferkel, „Ich habe vergessen, Schafe zu zählen. Darum kann ich nicht einschlafen."

„Du kannst ja mit mir zählen", schlägt I-aah vor.

„Obwohl ich nicht glaube, dass das funktioniert." Ferkel hat bis vierzig gezählt, als er bemerkt, dass I-aah eingeschlafen ist.

„Liebe Güte", seufzt Ferkel. „Was soll ein kleines Tier wie ich tun? Ich muss wohl für immer wach

Ferkel träumt vom Schlafen

bleiben." Damit gibt er sich zufrieden.

Ferkel geht nach Hause. Unterwegs denkt er an seine Freunde, an den großzügigen Puuh, an Kanga und Klein Ruh und das Wiegenlied. Er denkt an den hopsenden Tigger. Er denkt an I-aahs schläfrige Schafe. Als er mit dem Denken fertig ist, klettert Ferkel wieder in sein gemütliches Bett. Vom ganzen Denken und Gehen und Singen und Reden ist er sehr müde geworden. Er zieht sich die Decke bis an die Ohren und schläft sofort ein.

Der Goldtopf

Illustriert von Art Mawhinney

Erzählt von Guy Davis

Ein feiner Regen nieselt auf den Hundert-Morgen-Wald. Winnie Puuh und seine Freunde überlegen, was sie mit diesem Regentag anfangen können. „Warum gehen wir nicht Eule besuchen?", schlägt Puuh vor. „Er kennt sicher eine gute Geschichte für einen Regentag." Puuh, Ferkel, Tigger und I-aah machen sich auf den Weg zu Eules Haus. Als sie ankommen, fragen sie, ob Eule eine

Geschichte erzählen mag. Eule ist natürlich einverstanden.

„Ich sage euch, meine lieben Freunde, ich kenne die perfekte Geschichte für einen so verregneten Tag wie heute", sagt Eule und erzählt eine Geschichte vom Regenbogen und all seinen schönen Farben – Rot, Orange, Gelb, Grün, Blau und Lila. „Und am Ende des Regenbogens, da steht ein Topf voll Gold", sagt er.

Da bemerkt Tigger, dass es aufgehört hat zu regnen. „Hoo-hoo-hoo!", ruft er plötzlich und zeigt aus dem Fenster. „Seht ihr, was ich sehe?" Alle schauen hinaus. Sie sehen einen

wunderschönen Regenbogen am Himmel.

Eule will noch aufräumen, aber die anderen beschließen, dem Regenbogen zu folgen, um sein Ende zu finden.

Tigger und Puuh führen die Expedition an. Ferkel und I-aah folgen ihnen etwas vorsichtiger. Wo wohl das Ende des Regenbogens sein mag? Bald können sie den Regenbogen zwischen den

Bäumen nicht mehr sehen. „Auweia", sagt Ferkel,

„wir haben uns verlaufen!"

„Nein, wir haben uns nicht verlaufen", erklärt
Puuh. „Nur der Regenbogen ist verschwunden."

„Keine Sorge. Regenbogen finden ist das, was
Tigger am allerbesten können", erklärt Tigger.

Und dann hopst er in die
Höhe. Hoch, höher,
immer höher. Er hopst
so hoch, dass er über die
Bäume fliegt.

„Hoo-hoo-hoo!", ruft
Tigger. „Von hier oben
kann ich den

Regenbogen sehen!"

Puuh und seine Freunde folgen Tigger. Sie rennen aus dem dunklen Wald auf eine freundliche Lichtung.

Tigger hopst immer weiter. „Hier ist er", ruft er. „Groß und bunt und schön!"

„Schaut mal", sagt Ferkel aufgeregt. „Der Regenbogen endet hier!"

Tatsächlich endet der Regenbogen genau an Puuhs Haus.

„Seltsam", findet Puuh. „Ich wusste gar nicht, dass ich einen Topf mit Gold habe."

Aufgeregt rennen die Freunde in Puuhs Haus.

Sie wollen den Gold-
schatz sehen. Aber was sie
finden, überrascht sie.
Einen Schatz gibt es
nicht. Es gibt auch kein
Gold. Am Ende des
Regenbogens steht ein
Topf mit Honig.

„Wo ist der Schatz?", fragt Ferkel.

„Ich wusste doch, dass hier keiner ist", brummt
I-aah. Die Freunde sind ziemlich enttäuscht.
Nur Puuh ist kein bisschen enttäuscht!

„Vielleicht ist es kein Topf mit Gold", sagt Puuh

und leckt sich die Tatzen. „Aber es ist ein Honigtopf, und das ist der beste Schatz von allen!"

Tiggers größte Angst

Illustriert von den Disney-Zeichen-Studios
Erzählt von Guy Davis

Der Hundert-Morgen-Wald ist ein verschneites Winterwunderland. Tigger und Klein Ruh wollen draußen spielen.

„Auf meine Schultern, Kleiner!", sagt Tigger.

„Seid vorsichtig", ruft Kanga, als die beiden Freunde aus dem Haus rennen.

„Aber klar, Mama", antwortet Klein Ruh.

Tigger und Klein Ruh machen zuerst eine schnelle Schneeballschlacht. Lachend bewerfen sie einander mit Schneebällen. Dann hüpft Klein Ruh wieder auf Tiggers Schultern, und sie hopsen durch den Wald weiter.

Klein Ruh bemerkt, dass Tigger heute ganz

besonders hoch hopst.

„Wow, Tigger, so hoch bist du ja noch nie gehopst", sagt Klein Ruh. „Du bist aber mutig!"

„Hmm, mag sein", antwortet Tigger etwas erschrocken, als er merkt, wie hoch sie springen.

„Schau mal, wie klein da unten alles ist!", sagt Klein Ruh. „Wir sind so hoch wie die Bäume!"

Da packt Tigger einen hohen Baumstamm und klammert sich fest. Es ist ihm plötzlich einfach zu hoch geworden. Nun hat er Angst.

„Was ist denn los?", fragt Klein Ruh.

„N-n-nichts!", stottert Tigger.

Weit unten geht Puuh vorbei.

„Hallooo, Tigger! Hallooo, Klein Ruh!", ruft
Puuh. „Was macht ihr beide denn da oben?"
„Wir versuchen, nicht herunterzufallen!", ruft
Tigger zurück.
„Warum klettert ihr nicht herunter?", fragt Puuh.
„I-I-Ich kann nicht. Ich kann mich vor Angst
nicht bewegen!", ruft Tigger und klammert sich
noch fester an den Baum.
Kanga hört den Lärm und hüpft herbei.
„Auweia! Halt dich gut fest, Klein Ruh!", ruft sie.
„Alles in Ordnung, Mama. Keine Sorge!",
antwortet Klein Ruh.
Christopher Robin, Rabbit und Ferkel bleiben

stehen. Sie wollen sehen, was das für ein Lärm ist.

„Auweia!", murmelt Ferkel.

„Meine Güte!", stimmt Rabbit ein.

„Oh, oh", fügt Christopher Robin hinzu.

„Ich bin vielleicht ein Bär mit wenig Verstand, aber warum rutscht ihr denn nicht herunter?", fragt Puuh.

Alle Freunde finden, dass das eine sehr gute Idee ist. Klein Ruh will zuerst rutschen, aber der Baumstamm ist vereist, und er gleitet ab.

„Vielleicht rutsche ich lieber doch nicht zuerst", sagt Klein Ruh.

„Also, ich rutsche auch nicht zuerst!", ruft Tigger

von seinem Platz noch höher im Baum.

„Das klappt einfach nicht", sagt Christopher Robin und denkt nach, was man noch tun kann.

Christopher Robin zieht seinen Mantel aus. Er sagt den Freunden, dass alle anfassen und den Mantel ausbreiten sollen.

„Wir haben ein Sprungtuch für dich gemacht, Klein Ruh", sagt Christopher Robin. „Spring herunter, wir fangen dich auf."

Klein Ruh schaut ängstlich nach unten.

„Das schaffst du, Klein Ruh", ruft Kanga.

„Ich koooomme!", schreit Klein Ruh und springt von seinem Ast. Er landet auf dem Mantel.

Kanga nimmt Klein Ruh fest in den Arm.

„Wow, das hat Spaß gemacht!", ruft Klein Ruh.

„Kann ich es noch einmal machen? Bitte!"

Kanga lächelt Klein Ruh an und sagt: „Heute nicht, Kleiner."

„Und was ist mit Tigger?", fragt Ferkel.

Tigger schaut von seinem hohen Ast in die Tiefe.

„Komm schon, Tigger, du bist dran", sagt Christopher Robin. Die Freunde halten den Mantel für ihn auf.

„Nein! Ich habe Angst", antwortet Tigger und umklammert den Baum noch fester.

„Du schaffst es, Tigger!", ruft Rabbit.

„Komm schon, Tigger", schreit Klein Ruh. „Sogar ich bin gesprungen. Das kannst du!"

„Nein!", sagt Tigger und winkt, dass seine Freunde weggehen sollen. Der dumme Tigger winkt mit beiden Armen. Er hält sich nicht mehr am Baumstamm fest.

„Stramm halten, alle zusammen!", ruft Puuh, als Tigger tiefer, tiefer, immer tiefer fällt und mit einem lauten KRA-WUMMS landet.

„So hoch hopst er nie wieder!", sagt Rabbit. Er ist froh, dass sein Freund in Sicherheit ist.

Das neue Zuhause

Illustriert von John Kurtz

Erzählt von Guy Davis

Eines Morgens wacht I-aah auf und spürt sofort, dass etwas nicht stimmt. Das Gefühl hat er zwar fast jeden Morgen, aber heute ist ihm, als würde etwas fehlen. Er sieht sich um. „Auweia", jammert I-aah, „es fehlt wirklich etwas: ein Teil von meinem Haus. Jetzt muss ich mir noch mehr Sorgen machen."
I-aah sorgt sich den ganzen Tag, bis es am Abend Zeit zum Schlafengehen wird. In der nächsten Nacht erwacht er plötzlich und merkt, dass jetzt noch mehr von seinem Haus fehlt.
„Das ist ja schrecklich!", denkt I-aah.
Als es Morgen wird, ist I-aahs Stimmung schon

ganz finster. Was soll er nur machen?

Winnie Puuh und Ferkel kommen vorbei, und I-aah erzählt ihnen, was sich in der Nacht zugetragen hat.

Puuh und Ferkel sehen sich I-aahs Haus genau an. „Auweia", sagt Puuh. „Ich glaube, Eule muss uns helfen."

Die drei Freunde gehen zu Eule und erzählen ihm die ganze Geschichte.

„Da bleibt nur eins, Jungs", sagt Eule. „Um dieses Rätsel zu lösen, müsst ihr die ganze Nacht aufbleiben. Nur so können wir herausfinden, wer Stück für Stück I-aahs Haus stiehlt!"

Als es abends dunkel wird, halten die Freunde zusammen mit I-aah Wache. Aber es dauert nicht lange, bis sie müde werden.

I-aah ist müde, weil er in der Nacht zuvor nur wenig geschlafen hat. Ferkel zählt die Sterne und nickt ein. Puuhs Bauch ist voll Honig, den er um Mitternacht genascht hat. Und Eule findet eine faule Ausrede, um sich schlafen zu legen. Bald

schlafen sie alle tief und fest.

Als die Sonne aufgeht, dösen sie noch immer. Sie bemerken nicht, dass eine Gruppe Biber heranschleicht. Und sie sehen auch nicht, dass die Biber weitere Stöcke von I-aahs Haus mitnehmen.

Als aber die Biberfamilie an einer wichtigen Stütze zieht – Krach! –, da wachen alle auf. Die Biber laufen davon, aber I-aah und seine Freunde folgen ihnen. Sie entdecken, dass die Biber etwas bauen.

„Aha!", sagt Eule. „Sie bauen ihr Haus im Fluss!" „Aber dazu benutzen sie Teile von meinem Haus", bemerkt I-aah finster.

Puuh denkt einen Augenblick nach und sagt dann: „Vielleicht können wir uns zusammentun und beide Häuser bauen!" Und so machen sie es. Die Biber sammeln Äste und Zweige, während I-aah und seine Freunde das Haus im Fluss bauen.

Als das erledigt ist, gehen alle zu I-aahs Haus. Nun sammeln I-aah und seine Freunde Äste und Zweige, und die Biber erledigen die Bauarbeiten. Bald ist das Haus fertig – und es sieht viel schöner aus als vorher.

„He, I-aahs Haus sieht aus wie neu!", ruft Ferkel.

„Danke, Ferkel", sagt I-aah. „Danke euch allen, selbst den frechen, kleinen Bibern."

„Viel Spaß in deinem schönen Zuhause, I-aah!", sagt Puuh.

Die Sonne geht unter, und die Sterne erscheinen am Himmel. I-aah gähnt. Es wird langsam Schlafenszeit.

In dieser Nacht schläft er endlich einmal wieder tief und fest in seinem nagelneuen, schönen Haus.

Ein Bär, auf den Verlass ist

Illustriert von den DiCicco-Studios
Erzählt von Catherine McCafferty

„Puuh", sagt Rabbit, „es ist Familienbesuchs-tag, und ich habe es eilig! Könntest du eine Nachricht zu I-aah bringen?"

„Natürlich, Rabbit", antwortet Puuh.

„Ich habe I-aah gesagt, dass ich ihn heute besuche", sagt Rabbit. „Aber ich fürchte, ich bin nicht rechtzeitig von meinen Verwandten zurück. Sagst du I-aah bitte Folgendes?" Rabbit räuspert sich. „Rabbit bedauert, dass er die heutigen Pläne umstellen muss. Schaffst du das, Puuh?"

„Ich werde es versuchen", verspricht Puuh.

Rabbit eilt zufrieden weiter.

„Rabbit bedauert die heutigen Pläne", sagt Puuh

Ein Bär, auf den Verlass ist

zu sich selbst. „Nein, das war es nicht.“

Da sieht er Klein Ruh und Tigger.

„Hallo, Freunde“, sagt er.

„Spielst du mit mir Fangen?“, fragt Klein Ruh.

„Tut mir leid, Ruh“, antwortet Puuh. „Ich muss I-aah eine Nachricht bringen. Komm doch mit, und hilf mir, sie nicht zu vergessen.“

„Gern“, sagt Klein Ruh. „Was ist es denn?“

Aber Puuh denkt nur ans Spielen: „Rabbit muss die heutigen Pläne fangen? Nein. Rabbit bedauert das heutige Fangen? Nein.“

Puuh denkt angestrengt nach und bemerkt gar nicht, dass er in Tiggers Sandeimer tritt.

„Na so was!", ruft Tigger. „Du hast die Burg von seiner Hoheit, dem Sandkönig, zertreten!"

„Tut mir leid", antwortet Puuh im Laufen. Er versucht angestrengt, sich an die Nachricht zu erinnern. „Rabbit hat heute königliches Bedauern? Nein. Rabbits Pläne sind bedauerlich?"

„Jippie!" Klein Ruh findet es lustig, dass Puuh mit dem Eimer am Fuß weitergeht.

Tigger kommt auch mit. Da treffen sie Ferkel, der seinen Drachen steigen lässt.

Puuh denkt angestrengt über die Nachricht nach und bemerkt gar nicht, dass er in die Drachenschnur läuft. Sie schlingt sich um ihn – und sogar

um Tiggers Schwanz. So ziehen sie Ferkel und seinen Drachen mit zu I-aahs Haus.

„Lasst mich die Schnur abwickeln!", ruft Ferkel. Puuh antwortet nicht. Er denkt noch immer über die Nachricht nach.

„Rabbit muss seine königlichen Pläne abwickeln", sagt Puuh. „Nein, das war es nicht." Puuh bleibt stehen und holt tief Luft. Er bemerkt den Sandeimer an seinem Fuß und sieht, dass er und alle seine Freunde mit der Drachenschnur verwickelt sind.

„Hallo", sagt er zu seinen Freunden. „Hat Rabbit euch auch eine Nachricht für I-aah gegeben?"

Ein Bär, auf den Verlass ist

Ferkel legt sanft den Drachen auf die Erde und befreit die Freunde. „Nein, Puuh," sagt er. „Du hast uns einfach mitgeschleppt."

Puuh hat nichts davon bemerkt. Wenn er sich doch nur an die Nachricht erinnern könnte!

„Nett, dass ihr mich besucht", sagt I-aah, als er die Freunde kommen sieht.

„Genau!", ruft Puuh und lacht. „Rabbit kann heute nicht kommen. Er besucht Verwandte."

„Auch gut", meint I-aah. „Ich habe ihn sowieso erst morgen erwartet."

Klein Ruhs böser Traum

Illustriert von Keith Batcheller
Erzählt von Guy Davis

Es ist ein herrlicher Abend. Winnie Puuh und seine Freunde sitzen am Lagerfeuer. Sie rösten Marshmallows und erzählen Geschichten. Plötzlich ist ein lautes Rascheln im Wald zu hören … und es kommt immer näher.

„Auweia!", flüstert Ferkel. „Das klingt wie ein Heffalump!"

Dann ertönt ein lautes KRACH! Alle springen auf und rücken eng zusammen.

„Heffalump!", quiekt Puuh.

Und jetzt dringt ein langes, tiefes Stöhnen aus dem Wald. Klein Ruh hat sich noch nie so gefürchtet.

Das Stöhnen wird immer lauter. Das Gebüsch teilt sich, und heraus stolpert …

„Rabbit?!", rufen alle gleichzeitig.

„Und wir dachten, du bist ein Heffalump!", sagt Puuh.

„Himmel, nein", antwortet Rabbit. „Ich habe das Lagerfeuer gesehen und wollte nachschauen, was los ist. Aber ich bin im Dunkeln gegen einen Baum gerannt."

In dem Moment taucht Kanga auf. „Es ist spät, Klein Ruh", sagt Kanga. „Zeit fürs Bett."

„Ja, Mama", antwortet Klein Ruh, glücklich über diesen guten Grund, sich aus dem Staub zu

Klein Ruhs böser Traum

machen. „Gute Nacht, alle zusammen! Bis morgen." Alle sagen Gute Nacht.

Klein Ruh erzählt Kanga, was im Wald geschehen ist. „Wir dachten, Rabbit wäre ein Heffalump, Mama!", sagt er aufgeregt. „Wir haben uns so gefürchtet!"

Kanga lächelt und deckt Klein Ruh zu. „Schon gut, Kleiner", sagt sie. „Jetzt brauchst du dich nicht mehr zu fürchten. Schlaf gut, Klein Ruh."

Klein Ruh schläft bald ein, aber er wälzt sich die ganze Nacht hin und her. Statt süßer Träume erscheinen ihm Heffalumps im Schlaf.

Klein Ruh träumt von großen Heffalumps.

Klein Ruh träumt von kleinen Heffalumps.
In dieser Nacht träumt Klein Ruh sogar, dass die
Heffalumps ihn jagen.
Plötzlich wacht er auf. Er liegt ganz still im
Dunkeln, und da hört er ein Geräusch am
Fenster. R-r-r-itsch, r-r-ratsch. Klein Ruh sieht
einen schrecklichen Schatten an seiner Wand.
„Heffalumps!", denkt er. Voller Angst ruft er
seine Mutter. Kanga ist sofort zur Stelle.
„Mama!", sagt Klein Ruh atemlos. „Da ist ein
Heffalump vor meinem Fenster! Und ich glaube,
es sind auch welche im Zimmer!"
„Aber, aber, Kleiner", sagt Kanga freundlich.

Klein Ruhs böser Traum

„Du hast nur schlecht geträumt. Heffalumps gibt es doch gar nicht. Sie sind nur ausgedacht."
„Aber sie sehen so echt aus", sagt Klein Ruh.
„Das Geräusch kommt von dem Zweig, der gegen dein Fenster schlägt", erklärt Kanga. „Und den Schatten macht der Mond, wenn er durch die Bäume scheint."
„Tut mir leid, Mama", sagt Klein Ruh. „Ich habe mich einfach vor Heffalumps gefürchtet."
„Aber jetzt weißt du, dass du in Sicherheit bist, Kleiner", sagt Kanga und deckt ihn wieder zu. Dann summt sie leise ein Wiegenlied.
Klein Ruh weiß, dass seine Mama Recht hat.

Es gibt nämlich gar keine Heffalumps.
Er kuschelt sich unter die Decke und schläft
friedlich ein.
„Gute Nacht, Klein Ruh", flüstert Kanga. „Ich
hab dich lieb."

Der gar nicht so besondere, ganz besondere Tag

Illustriert von den DiCicco-Studios
Erzählt von Catherine McCafferty

Puuh schleckt sich die letzten Honigtropfen von den Tatzen. „Fertig gefrühstückt, Christopher Robin", sagt Puuh. „Heute soll ein besonderer Tag werden."

„Für einen ganz besonderen Tag braucht man aber eine besondere Idee", sagt Christopher Robin.

Als die beiden Freunde an Eules Haus kommen, fragen sie ihn nach einer besonderen Idee.

„Vielleicht ein Spiegeltag", schlägt Eule vor.

Das klingt gut. Also gehen die beiden zum Fluss und schneiden über dem Wasser Grimassen. Die Spiegelbilder sehen lustig aus. Aber ein

besonderer Tag ist es dadurch nicht.

„Vielleicht könnte es ein ganz besonderer Seefahrertag sein", meint Christopher Robin.

„Und wo ist unser Schiff?", fragt Puuh.

„Hier, Kapitän Puuh!" Christopher Robin hilft Puuh, auf einen hohen Baum zu klettern.

„Ahoi!", ruft Christopher Robin.

„Haaallo!", grüßt Tigger aus der Ferne.

Die Seefahrt macht Spaß, aber ein besonderer Tag ist es dadurch nicht.

Puuhs Magen beginnt zu knurren. „Ein Naschtag wäre auch prima", sagt er.

„Gute Idee!", meint Christopher Robin. „Ein

ganz besonderer Backtag!"

Tief im Hundert-Morgen-Wald backen die beiden Freunde Sandkuchen. Sie tun so, als schmeckten sie köstlich. Aber ein besonderer Tag ist es dadurch noch nicht.

Die Sonne geht unter, und es beginnt zu dämmern. Christopher Robin und Puuh gehen wieder am Fluss entlang.

„Tut mir leid, dass es doch kein ganz besonderer Tag geworden ist", murmelt Christopher Robin. Puuh legt den Kopf schief und sieht, dass auch sein Spiegelbild im Wasser den Kopf schief legt. „Aber unsere Grimassen waren etwas

Besonderes", sagt Puuh. „Wir sind mit einem besonderen Schiff gefahren und haben besondere Kuchen gebacken. Nimmt man alles zusammen, war es doch ein besonderer Tag."

„Stimmt", antwortet Christopher Robin und lächelt seinen besonderen Freund an.

„Dann könnten wir jetzt vielleicht eine besondere Portion Honig bekommen?", fragt Puuh.

„Und ob wir das können!", sagt Christopher Robin.

Und so gehen die beiden besonderen Freunde nach Hause und beenden diesen besonderen Tag mit einem ganz besonderen Imbiss.

Tiggers wahre Familie

Illustriert von den DiCicco-Studios
Erzählt von G. F. Bratz

Eule erzählt die besten Geschichten. Er hat eine ruhmreiche Familie, darum kann er von vielen Abenteuern berichten. Tigger und Klein Ruh lauschen gebannt.

„Und so, meine Freunde", schließt Eule mit bedeutungsvollem Gesicht, „habe ich diese alte Uhr von meinen Ahnen geerbt."

Tigger denkt einen Moment nach und ruft dann: „Ich habe auch ein Erbstück! Vielleicht haben Tigger ja auch Familien."

Tigger hüpft schnell nach Hause, dicht gefolgt von Klein Ruh, und läuft auf seinen Dachboden.

„Hier ist es!", ruft Tigger und hält ein Medaillon

hoch. „Es ist mein Wasimmerdasseinmag!"

„Was ist ein Wasimmerdasseinmag?", fragt Ruh.

Tigger öffnet das Medaillon. „Es ist ein Erbstück, Klein Ruh. Man kann ein Bild von der Familie hineintun. Wenn ich nur eines hätte!"

Tigger ist ganz aufgeregt. Er kann es nicht abwarten, ein Bild für sein Medaillon zu bekommen. Aber zuerst muss er einen Brief an seine Familie schreiben.

„Ich lade sie zu einem Fest ein, und dann machen wir ein Bild für mein Wasimmerdasseinmag!", sagt Tigger aufgeregt. Er fängt gleich an zu schreiben.

Klein Ruh erzählt den anderen von Tiggers Suche. Alle wollen ihm helfen. Sie suchen überall nach seiner Familie und fragen alle Bekannten. Aber niemand kennt andere Tigger.

Unterdessen wartet Tigger auf Post. Doch es kommt keine Antwort auf seinen Brief.

Eines Tages fragt Klein Ruh traurig: „Mama, wo ist denn nun Tiggers Familie?"

„Weißt du", seufzt Kanga, „ich fürchte, Tigger hat keine Familie. Aber wir mögen Tigger, darum gehört er ein bisschen zu unserer Familie."

Plötzlich hat Klein Ruh eine Idee. Sie könnten doch so tun, als wären sie Tiggers Familie.

Gesagt, getan. Eule schickt Tigger eine Antwort auf seinen Brief.

„Jetzt bekommt Tigger eine Familie!", sagt Klein Ruh, und alle Freunde spielen mit.

Es ist Tiggers Glückstag. Als er den Brief öffnet, muss er immerzu hopsen und kann kaum lange genug anhalten, um ihn zu lesen.

„Was steht denn drin?", fragt Kanga und zwinkert Klein Ruh und Puuh zu.

„Hohoo!", ruft Tigger. „Da steht, meine Familie ist genau wie ich. Am allerbesten können sie hopsen. Sie mögen keinen Honig und klettern nicht auf Bäume. Sie verlaufen sich nie, und –

sie kommen zu meinem Fest."

Kanga und Puuh sehen sich verdattert an.

Ups! Eule hat geschrieben, dass Tiggers Familie zum Fest käme! Was sollen sie jetzt bloß tun?

Alle denken angestrengt nach. Puuh denkt nach, bis er eine Idee hat. „Wir könnten uns alle als Tigger verkleiden", schlägt er vor.

Alle finden, dass das eine prima Idee ist für einen Bären mit wenig Verstand. Kanga hilft ihnen, Tiggerkostüme und Masken zu basteln.

Als der große Tag endlich da ist, ist Tigger zuerst traurig, weil seine Freunde nicht kommen können. Aber als er die Tür öffnet, stehen da

lauter Tigger! Da ist seine Traurigkeit im Nu verschwunden.

„So was! Toll!", sagt er. Das kleine Zimmer ist voll von Luftballons, Luftschlangen und lächelnden Tiggern, die versuchen zu hopsen.

„Sonderlich gut hopsen sie aber nicht", findet Tigger. „Nur der Kleinste hopst wie mein Kumpel Klein Ruh."

Klein Ruh ist so froh, dass er hopst und hopst – bis ihm die Tiggermaske vom Gesicht rutscht.

„Du bist gar kein Tigger!", sagt Tigger und staunt nicht schlecht. „Du bist ein Ruh!"

Da nehmen auch Puuh und die anderen ihre

Masken ab und geben zu, was sie getan haben.

Tigger hört zu hopsen auf und lässt den Kopf hängen.

„Komm schon, Tigger", sagt Eule. „Kopf hoch!" Es gefällt ihm gar nicht, dass sein hopsiger Freund traurig ist, nur weil er keine Familie hat.

Aber Tigger ist nicht traurig. Er ist sehr glücklich.

„Ach, was soll's!", sagt er. „Ich bin der einzige Tigger mit so einer tollen Familie! Jetzt mache ich ein Bild für mein Wasimmerdasseinmag."

Später, als Tigger das Bild in sein Medaillon legt, denkt er, dass er die beste Familie hat, die ein Tigger sich wünschen kann – seine Freunde.